AF172903

Ifana yr Iâr

Rhiannon Wyn Salisbury

ac

Elin Vaughan Crowley

Diolch i Nain a Taid
Ty'n y Pwll, Dinas Mawddwy

Cyfres Celt y Ci – Rhif 4

Argraffiad cyntaf: 2023

© Hawlfraint testun Rhiannon Wyn Salisbury a'r Lolfa Cyf., 2023
© Hawlfraint lluniau Elin Vaughan Crowley, 2023

Dyluniwyd gan Richard Huw Pritchard

*Mae hawlfraint ar gynnwys y llyfr hwn ac mae'n
anghyfreithlon i lungopïo neu atgynhyrchu unrhyw ran ohono
trwy unrhyw ddull ac at unrhyw bwrpas (ar wahân i adolygu)
heb gytundeb ysgrifenedig y cyhoeddwyr ymlaen llaw.*

Dymuna'r cyhoeddwyr gydnabod cymorth ariannol
Adran Addysg Llywodraeth Cymru

Cynllun y clawr: Richard Huw Pritchard

Rhif Llyfr Rhyngwladol: 978 1 80099 459 1

Cyhoeddwyd ac argraffwyd yng Nghymru gan
Y Lolfa Cyf., Talybont, Ceredigion SY24 5HE
gwefan: www.ylolfa.com
e-bost: ylolfa@ylolfa.com
ffôn: 01970 832 304

Ifana yr iâr

ar gôl

Ifana yr iâr ar gôl Guto

Mae Ifana yr iâr ar gôl Guto.
Mae Guto yn mwytho Ifana yr iâr.

Mae Guto yn mynd
i'r ysgol ar y bws.
Hwyl fawr, Guto!

pigo

Mae Ifana yr iâr yn hoffi pigo.

Pigo, pigo, pigo!
Mae Ifana yr iâr yn pigo am...

sioncyn y gwair

chwilen

morgrugyn

9

gwlithen

pry copyn

neidr gantroed

Mmmm!

Mae Celt y ci yn hoffi chwarae.
Mae Celt y ci yn hoffi rhedeg
hefyd!

Mae Celt y ci yn hoffi
rhedeg ar ôl Ifana yr iâr.
Druan ag Ifana yr Iâr.

fflapio

O na!
Mae Celt y ci yn rhedeg ac
mae Ifana yr iâr yn fflapio.

13

aros

"Celt, aros!"
Ond mae Celt
y ci yn chwarae.

14

"Aros, Celt!"
Mae Celt y ci yn aros.
Da iawn, Celt!

clywed

BWS YSGOL

Mae Celt y ci yn clywed y bws.

16

BWS YSGOL

Mae Ifana yr iâr
yn clywed y bws.

awyr iach

Mae Guto yn hoffi awyr iach.

Mae Guto yn hoffi helpu Iori
y ffermwr yn yr awyr iach.

 gwanwyn

ŵyn bach

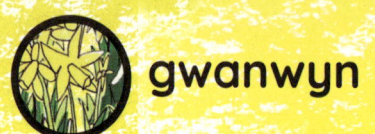

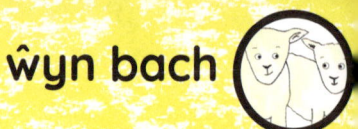

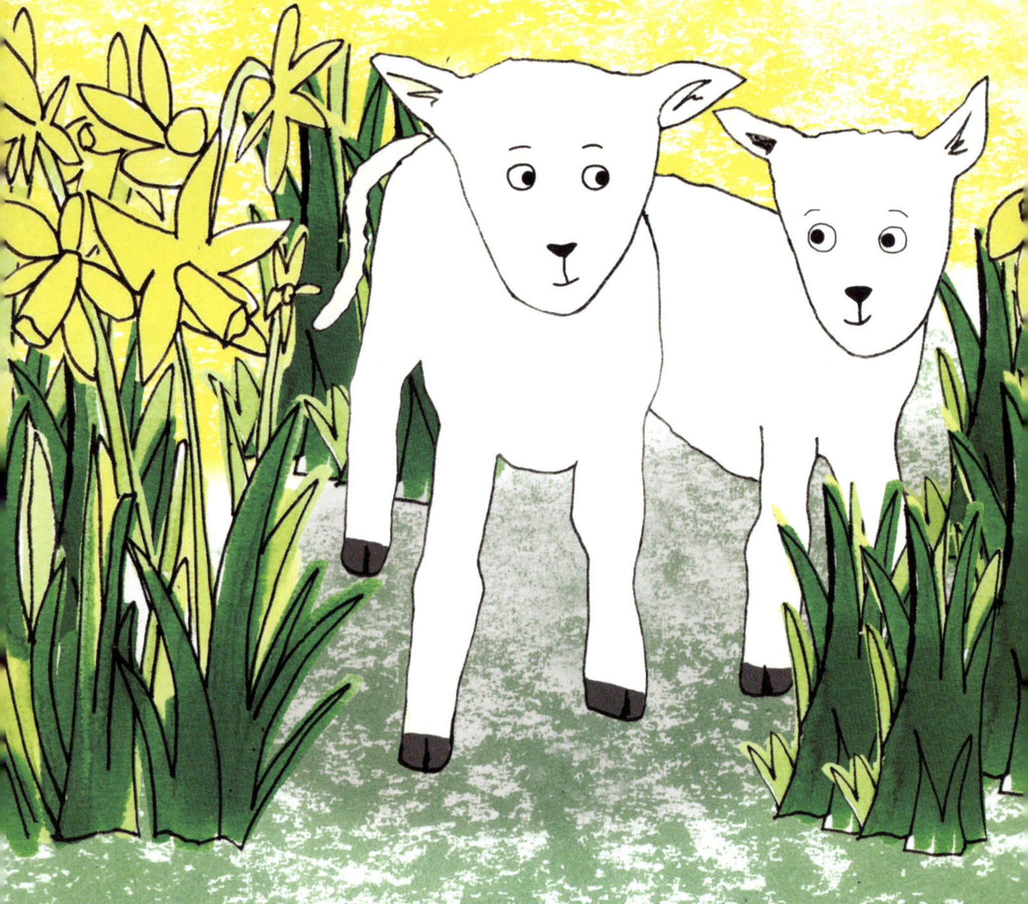

Yn y gwanwyn, mae Guto
yn helpu'r ŵyn bach.

haf

dŵr

anifeiliaid

Yn yr haf, mae Guto yn helpu i roi dŵr i'r anifeiliaid.

21

hydref

symud

Yn yr hydref, mae Guto yn helpu i symud yr anifeiliaid.

Yn y gaeaf, mae Guto yn
helpu i roi bwyd i'r anifeiliaid.

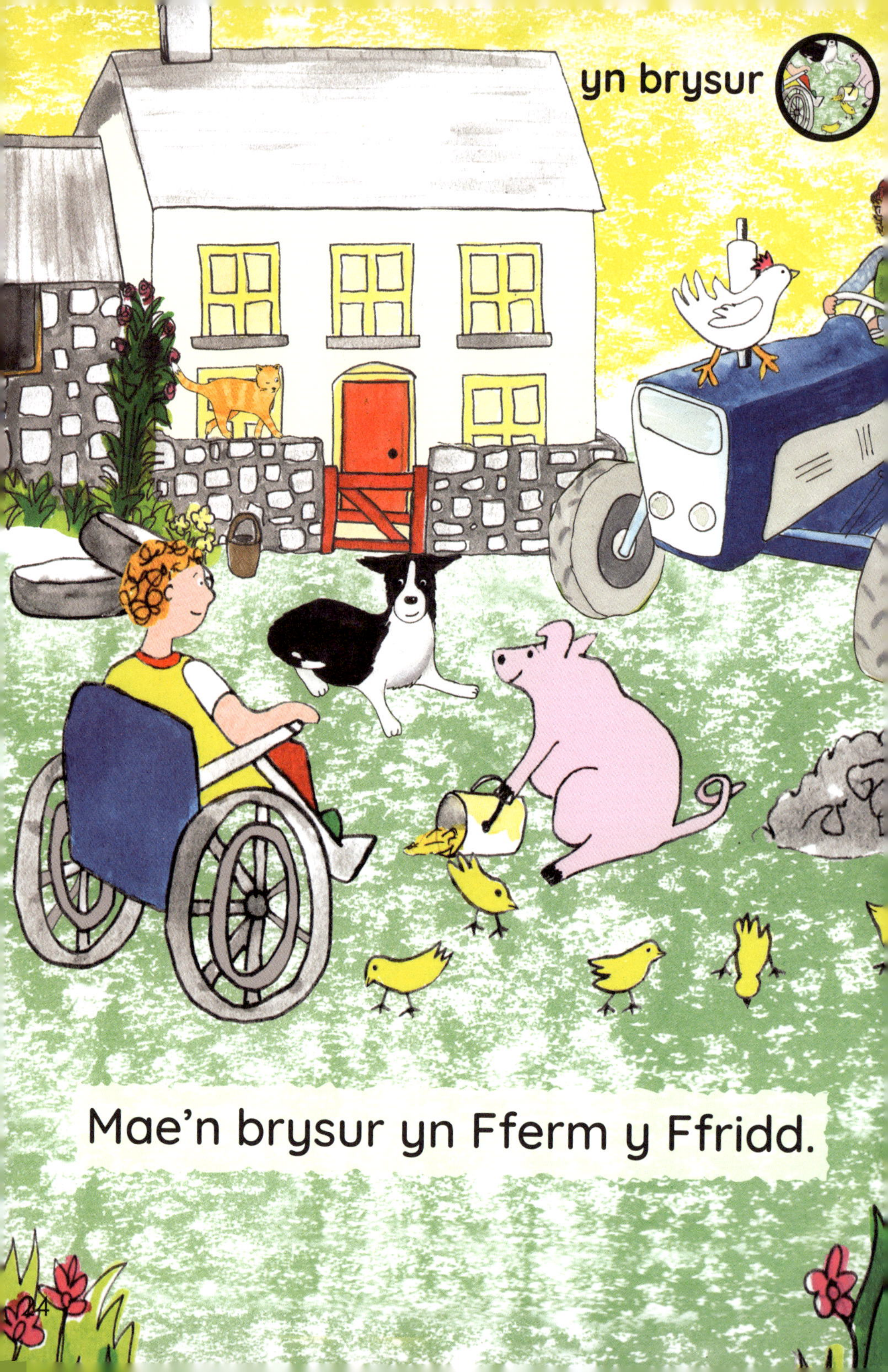

yn brysur

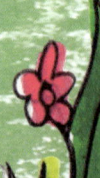

Mae'n brysur yn Fferm y Ffridd.

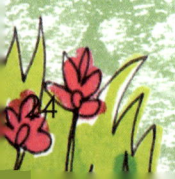

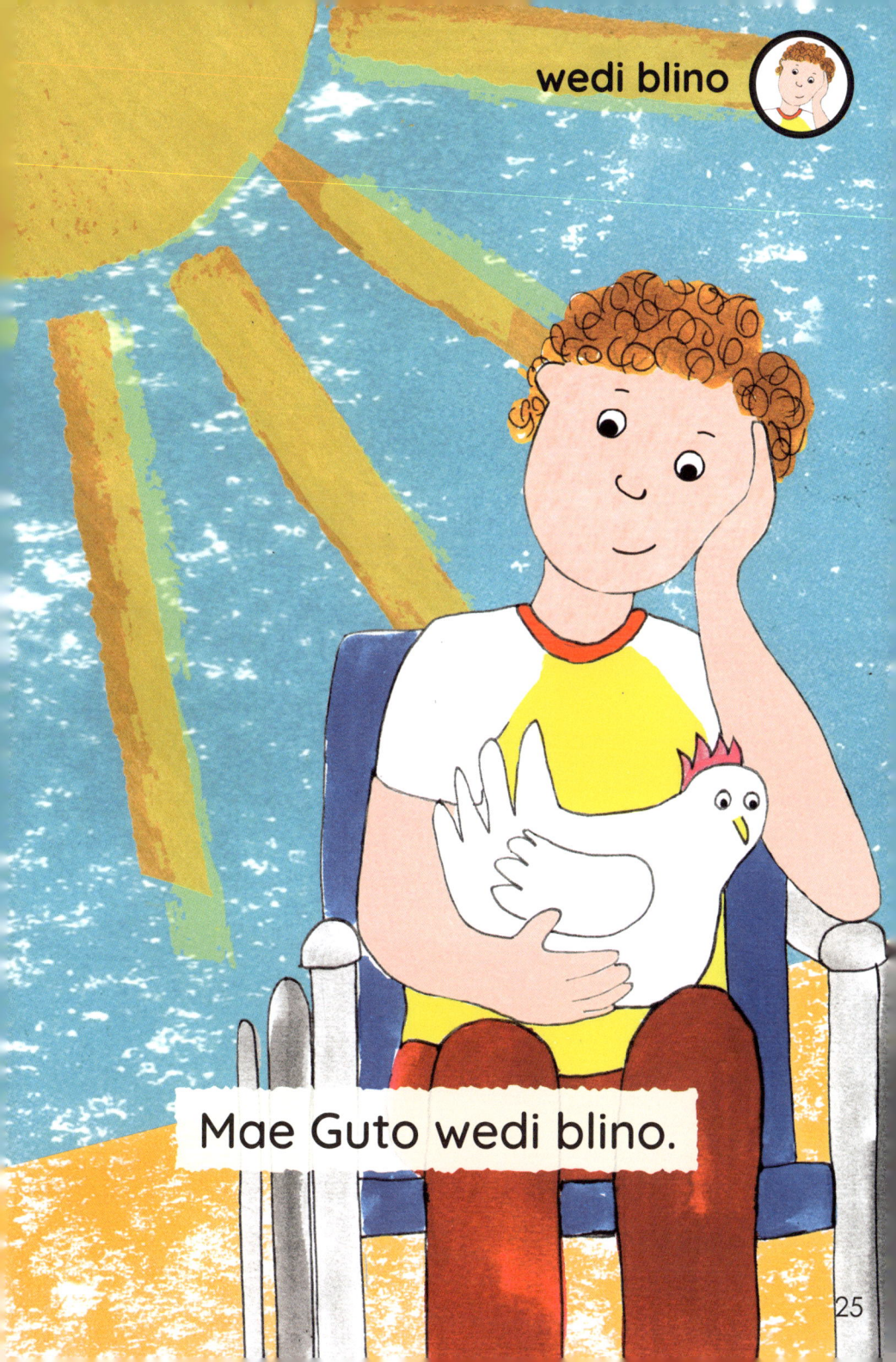

Mae Guto wedi blino.

Mae Ifana yr iâr
wedi blino hefyd.

Mae pawb wedi blino
yn Fferm y Ffridd.
Nos da!

Geiriau allweddol

Tudalen

3.	Ifana yr iâr
4.	ar gôl, Guto
5.	mae, mwytho
6.	mynd i'r, ysgol, hwyl fawr
7.	hoffi, pigo
8.	am
9.	sioncyn y gwair, chwilen, morgrugyn
10.	gwlithen, pry copyn, neidr gantroed
11.	Celt y ci, chwarae, rhedeg, hefyd
12.	ar ôl, druan ag
13.	o na, fflapio
14.	aros, ond
15.	da iawn
16.	clywed
17.	–
18.	awyr iach
19.	helpu
20.	gwanwyn, ŵyn bach
21.	haf, rhoi dŵr, anifeiliaid
22.	hydref, symud
23.	gaeaf, rhoi bwyd
24.	brysur (prysur)
25.	wedi blino
26.	–
27.	pawb, nos da

Cyfieithiad Saesneg
English translation

Tudalen
Page

3. Ifana the hen

4. Ifana the hen on Guto's lap

5. Ifana the hen is on Guto's lap.
Guto caresses Ifana the hen.

6. Guto goes to school on the bus.
Bye, Guto!

7. Ifana the hen likes to peck.

8. Peck, peck, peck!
Ifana the hen likes to peck for a...

9. grasshopper
beetle
ant

10. slug
spider
centipede
Mmmm!

11. Celt the dog likes to play.
Celt the dog likes to run too!

12. Celt the dog likes to run after Ifana the hen.
Poor Ifana the hen!

13. Oh no!
Celt the dog runs and Ifana the hen flaps.

14. "Celt, wait!"
    But Celt the dog is playing.

15. "Wait, Celt!"
    Celt the dog waits. Well done, Celt!

16. Celt the dog hears the bus.

17. Ifana the hen hears the bus.

18. Guto likes fresh air.

19. Guto likes to help Iori the farmer in the fresh air.

20. In spring, Guto helps the little lambs.

21. In summer, Guto helps to give water to the animals.

22. In autumn, Guto helps to move the animals.

23. In winter, Guto helps to give food to the animals.

24. It's busy in Fferm y Ffridd.

25. Guto is tired.

26. Ifana the hen is tired too.

27. Everybody is tired in Fferm y Ffridd. Good night!

Holwch am bris argraffu!
www.ylolfa.com